La abuela Miller sonrió.

—Espera un momento —dijo.

Entonces fue hasta el auto y volvió.

Estaba escondiendo algo detrás de ella.

—Junie B., aquí hay alguien que quiere conocerte —dijo—. Cierra los ojos y dame la mano.

Sentí cosquillas en la barriga.

—¿Qué es, abuela? ¿Me va a hacer cosquillas? ¿Me va a gustar? No me morderá, ¿verdad? ¿Me va a morder?

Entonces cerré los ojos muy fuerte.

Y mi abuela me abrió los dedos.

Y me puso la sorpresa en la mano.

Junie B. Jones busca una mascota

por Barbara Park
ilustrado por Denise Brunkus

SCHOLASTIC INC.
New York Toronto London Auckland Sydney
Mexico City New Delhi Hong Kong Buenos Aires

Originally published in English as *Junie B. Jones Smells Something Fishy*

Translated by Aurora Hernandez.

ISBN-13: 978-0-439-87426-7
ISBN-10: 0-439-87426-2

Published by Scholastic Inc. by arrangement with Writers House.

12 11 10 9 8 7 6 5 4 8 9 10 11/0

Printed in the U.S.A.
First Spanish printing, January 2007

NOTA DEL EDITOR: Al igual que en la versión original en inglés, los errores gramaticales y de uso de algunas palabras que aparecen en el libro son intencionales y ayudan al lector a identificarse con el personaje.

*Mis más sinceros agradecimientos a mi editora,
Michelle Knudsen, por su perspicacia, paciencia
y (lo mejor de todo) ¡su esplendidosísimo sentido del humor!
Junie B. y yo no podríamos estar en mejores manos.*

Contenido

Junie B. Jones
busca una mascota

R S T U V W X Y Z

1/ El Día de las mascotas

Me llamo Junie B. Jones. La B es de Beatrice, solo que a mí no me gusta Beatrice. Me gusta la B, y ya está.

¿Y sabes qué más?

Que te quiero contar lo que me pasó hoy en la escuela.

Primero, estaba sentada en mi mesa haciendo mi trabajo.

Entonces, de repente, mi maestra se levantó. Y dio unas palmadas.

Mi maestra se llama Seño. También tiene otro nombre. Pero a mí me gusta Seño, y ya está.

—Niños y niñas. ¿Podrían prestar atención, por favor? —dijo—. Tengo buenas noticias. La semana que viene es la Semana nacional de las mascotas. Y para celebrarlo, ¡en el Salón Nueve vamos a tener el Día de las mascotas!

Yo pegué un salto desde mi silla, muy emocionada.

—¡YUPI, CHICOS! ¡YUPI! ¡YUPI! ¡VAMOS A TENER EL DÍA DE LAS MASCOTAS! —grité.

Mis pies empezaron a dar saltitos por todo el salón. Porque ellos también estaban muy emocionados.

—¡EL DÍA DE LAS MASCOTAS! ¡CHARLOTTE, VAMOS A TENER EL DÍA DE LAS MASCOTAS! —grité.

—¡EL DÍA DE LAS MASCOTAS! ¡JAMAL, VAMOS A TENER EL DÍA DE LAS MASCOTAS! —grité.

—¡EL DÍA DE LAS MASCOTAS! ¡JIM

EL MALO, VAMOS A TENER EL DÍA DE LAS MASCOTAS! —grité.

Justo entonces, Seño me agarró por los tirantes.

Los tirantes es como llaman los mayores a esas cintas que hacen que no se te caigan los pantalones.

Miré a mi alrededor preocupada.

—Ya, lo que pasa es que hay un problemita —dije—. Y es que si tira mucho de los tirantes... ¡pum!, se me caen los pantalones.

Seño frunció el ceño.

—Siéntate... ahora... mismo —dijo muy enojada.

Yo tragué saliva.

—Muy bien —dije.

Entonces corrí de vuelta a mi silla. Y Seño volvió a la parte de delante del salón.

Nos dijo todas las normas para el Día de las mascotas.

Dijo que el Día de las mascotas iba a ser el lunes siguiente. Y que si tenías un gato o un perro, podías llevar una foto. Y que ella la colgaría en el pizarrón de los anuncios.

—Pero por favor, niños y niñas, no traigan perros ni gatos a la escuela, ¿entendido? —dijo—. Los únicos animales que pueden traer a la escuela son los que están en jaulas.

Yo volví a saltar.

—¡Puf! ¡Menos mal! —dije—. ¡Porque tengo un perro que se llama Cosquillas! Y al principio pensé que solo podía traer su foto. ¡Pero lo puedo traer en una jaula!

Seño dijo que no con la cabeza.

—No, Junie B. Me temo que no me entendiste. No se pueden traer ni perros ni gatos a la escuela de ninguna manera. Ni siquiera en jaulas. Voy a decorar el pizarrón de anuncios con fotos de perros y gatos.

Yo bajé mi cabeza muy desilusionada.

—Demonios —dije.

Porque una foto de un perro no es ni siquiera divertida.

Justo entonces, mi *supermejor* amiga que se llama Grace levantó la mano.

—¿Puedo traer a mi pez, Babosito? —preguntó—. ¿Una pecera es lo mismo que una jaula?

Seño sonrió.

—Sí, Grace. Puedes traer a tu pez.

Después de eso, mi otra *supermejor* amiga que se llama Lucille también levantó la mano.

—¡Señorita! ¿Sabe lo que voy a traer yo? ¡Voy a traer una foto de mi poni nuevo! ¡Y también voy a traer mi ropa carísima de montar a caballo! Así todos verán lo linda que luzco cuando voy a montar a caballo.

Seño se quedó mirando a Lucille durante un rato muy largo.

—Eso será estupendo —dijo por fin.

Lucille me dio un golpecito con el dedo.

—¡Me muero de ganas de que llegue el Día de las mascotas! ¿Y tú, Junie B.? ¡Ya verás qué linda me veo con mis botas de montar! —dijo.

Yo no contesté.

Me volvió a dar con el dedo.

—¡El Día de las mascotas va a ser divertidísimo! ¿No crees? ¿Verdad, Junie B.? ¿No crees que el Día de las mascotas va a ser divertido?

En ese momento, me acerqué a su cara.

—No me vuelvas a dar golpecitos ni una vez más. ¿Sabes? —gruñí—. No sé qué hay de divertido en traer una foto de un perro. A ver, Lucille, ¿qué tiene eso de divertido? ¿Eh? ¿Eh?

Después de eso, recosté la cabeza en la mesa.

Y me tapé con los brazos.

Y me quedé así hasta el final de la escuela.

2/ El secreto de Piolito

Yo y la tal Grace fuimos juntas a casa en el autobús.

Pero no le dirigí la palabra.

Porque ella no paraba de estar contenta por lo de Babosito. ¿Y qué actitud es esa?

Caminé hasta mi casa muy tristona.

La abuela Miller estaba cuidando a mi hermano bebé, que se llama Ollie.

—Ay, no, parece que alguien ha tenido un mal día en la escuela —dijo.

Levanté mi mano muy débil.

—Yo, abuela. Yo. Yo fui la que tuvo un mal día en la escuela.

Después de eso, le di el papel de la maestra. Eran las normas para el Día de las mascotas.

La abuela Miller puso a Ollie en el columpio.

Entonces ella y yo nos sentamos en el sofá. Y yo esperé mientras ella leía el papel.

—Qué lástima —dijo—. No puedes llevar a Cosquillas, ¿no?

Yo dije que no con la cabeza muy triste.

—Ni siquiera en una jaula —dije.

Solté un suspiro de tristeza.

—¿Dónde está la justicia, eh, Helen? —pregunté.

La abuela sonrió muy comprensiva.

Después me abrazó.

Y ni siquiera me dijo que no la llamara Helen.

—No sé qué decirte, mi amor —dijo—. A no ser que de aquí al Día de las mascotas obtengas otra mascota, me parece que vas a tener que conformarte.

Mis ojos empezaron a llorar un *poquirritín*.

—Pero mamá y papá no me van a comprar otra mascota, abuela. Porque ya les pedí un conejo y una cabra y un murciélago y una rata. Y me dijeron que no, no, no y no.

La abuela volvió a leer las normas.

—Espera un momento —dijo—. ¿Cómo no me di cuenta antes? Aquí dice que puedes llevar un pájaro.

Yo me encogí de hombros.

—Sí, ¿y?

—¡Pues que puedes llevar a mi canario! —dijo—. ¡Dejaré que lleves a Piolito!

Yo miré y *requetemiré* a esa mujer.

Luego le di palmaditas en la mano muy simpática. Y le susurré un secretito al oído.

—Ya, solo que hay un problemita. Que ese pájaro tonto me cae fatal —dije.

La abuela Miller me miró sorprendida.

—¿Te cae mal? ¿Piolito te cae mal? —preguntó.

Le mostré mi dedo.

—Me picó un día, abuela. Me picó en el dedo, ¿te acuerdas? Y yo no le había hecho nada.

La abuela me miró con los ojos chiquititos.

—Le pusiste una papa en la cabeza —dijo—. Yo también te hubiera picado.

Yo sonreí un poco nerviosa.

—Era un sombrero —dije muy bajito.

Después de eso, la abuela Miller se quedó ahí sentada un poco estirada. Y no hablamos durante un montón de minutos.

Al final, le di un golpecito.

—¿Tienes alguna otra mascota en tu casa? —pregunté—. ¿Alguna mascota que yo no conozca?

La abuela Miller sonrió un poquito.

—No, a no ser que atrapemos al mapache loco ese que todas las noches hurga en nuestra basura —dijo.

Entonces se rió un poquito más.

¿Y sabes qué?

Que yo también me reí.

Porque esa mujer es un genio. ¡Te lo aseguro!

3 / La jefa

El sábado, me levanté muy emocionada.

Y me fui corriendo al garaje.

Y agarré la red de pescar de mi papá.

Y salí zumbando a la cocina.

Mamá estaba comiendo su cereal.

—¡Mamá! ¡Mamá! ¿Sabes por qué tengo esta red? ¿Eh? ¿Lo sabes?

Se demoraba mucho en responderme.

—¡PORQUE HOY VOY A ATRAPAR AL MAPACHE LOCO! —grité.

Mamá cerró los ojos.

—No, Junie B. Ni hablar. Ya hemos hablado de esto, ¿te acuerdas? Anoche hablamos del mapache.

Yo sonreí muy contenta.

—¡Ya lo sé! ¡Ya sé que hablamos del mapache!

Mamá parecía confundida.

—Pero papá y yo dijimos que no, Junie B. —dijo—. Te dijimos que no podías atrapar al mapache. Los mapaches tienen dientes y garras afiladas, ¿recuerdas?

—¡Sí! ¡Claro que me acuerdo! ¡Para eso tengo esta red, mamá! ¿Ves qué largo es el mango? ¡Con esto estaré a salvo!

Mamá deletreó la palabra no.

—N-o... no —dijo.

Yo pegué un pisotón.

—S-í... sí —contesté—. Tengo que hacerlo, mamá. Tengo que atrapar al mapache para el Día de las mascotas. La abuela Miller dijo que podía. Y ella es tu jefa.

Justo entonces, pasó un milagro.

Y es que la abuela Miller entró por la puerta de atrás.

Mamá levantó la vista.

—Ay, mira. Ahí está mi jefa —dijo muy gruñona.

Yo corrí hacia mi abuela muy contenta.

—¡Abuela Miller! ¡Abuela Miller! ¡Estoy contentísima de verte! ¡Porque mamá dice que no puedo atrapar el mapache! ¡Así que la tienes que obligar!

Me levanté para que pudiera hacerlo.

—Vamos. Adelante —dije.

Entonces esperé y esperé. Pero la abuela no hizo nada.

—¡Vamos! ¡Adelante! —dije más alto.

¡Pero en ese momento vi algo que me puso más contenta todavía!

¡Y es que vi que mi abuela llevaba puesto su sombrero de pesca!

Los ojos casi se me salen de la cabeza al ver la cosa aquella.

—¡Abuela! ¡Abuela! ¡Llevas puesto tu sombrero de pesca! ¡Eso quiere decir que hoy vas al lago! ¿No?

Salí corriendo hasta la puerta.

—¿El abuelo Miller también va al lago contigo? ¿Está ahí afuera en su auto?

Miré afuera.

—¡SÍ! ¡AHÍ ESTÁ EL ABUELO! ¡ESTÁ EN SU AUTO!

Abrí la puerta.

—¡ABUELO MILLER! ¡OYE, ABUELO FRANK MILLER! ¡TENGO BUENAS NOTICIAS! ¡PUEDO IR AL LAGO CONTIGO! CREO. PORQUE AHÍ SE PUEDEN ATRAPAR MUCHOS MAPACHES. SEGURAMENTE MÁS QUE EN TU CASA.

Volví corriendo a la cocina.

—¡Toma, abuela! ¡Sujeta esta red! Me voy a vestir y vuelvo en un segundo.

Un segundo quiere decir superrápido.

La abuela Miller me agarró por el pijama.

—No, mi amor, espera un momento —dijo—. Me temo que hoy no puedes venir con nosotros. Hemos quedado con unos amigos y ya vamos un poco tarde.

Solo pasamos por aquí para tomar prestada la nevera de tu papá.

En ese momento me sentí muy mal por dentro.

—Ya, solo que yo tengo que ir, abuela. Tengo que ir —dije—. Porque si no voy ¿cómo voy a atrapar un mapache?

La abuela se agachó hasta mí.

—Ya, bueno, es que... tengo que decirte algo más, mi amor —dijo—. Eso del mapache... en realidad yo lo dije en broma, Junie B. Nunca imaginé que lo fueras a tomar en serio.

Justo entonces, mi nariz empezó a gotear.

—Sí, claro, lo que pasa es que imaginaste mal, Helen —dije.

La abuela Miller me abrazó muy fuerte.

—Vamos, no llores —dijo—. Puedes atrapar otros animales para el Día de las mascotas. Hay otros animales mucho más amigables que los mapaches.

Yo dije que no con la cabeza muy rápido.

—No, no hay, abuela Miller. Lo dices para engañarme —dije.

Entonces me quedé ahí parada durante un rato muy largo.

Porque ¿y si no me estaba engañando? ¿Y si en realidad podía atrapar otros animales?

Al final tomé aire.

—Muy bien, dime qué otros animales. Pero más te vale que sean buenos.

La abuela Miller sonrió.

—Espera un momento —dijo.

Entonces fue hasta el auto y volvió.

Estaba escondiendo algo detrás de ella.

—Junie B., aquí hay alguien que quiere conocerte —dijo—. Cierra los ojos y dame la mano.

Sentí cosquillas en la barriga.

—¿Qué es, abuela? ¿Me va a hacer cosquillas? ¿Me va a gustar? No me morderá, ¿verdad? ¿Me va a morder?

Entonces cerré los ojos muy fuerte.

Y mi abuela me abrió los dedos.

Y me puso la sorpresa en la mano.

4 / Baboso y asqueroso

—¡AY! ¡QUÉ ASCO! ¡ES UN GUSANO! ¡ES UN GUSANO! ¡QUÍTAMELO, ABUELA! ¡QUÍTAMELO YA MISMO! —grité.

La abuela Miller me quitó el gusano.

—Dios mío, Junie B. ¿Qué te pasa? Es un bebé gusano. Mira qué chiquito es. Esta cosita chiquitita es la mascota perfecta.

Yo le resoplé.

—Sí, ya, lo que pasa es que los gusanos no pueden ser mascotas, abuela. Porque las mascotas tienen pelo para que las puedas acariciar. Y los gusanos tienen la piel babosa y asquerosa.

La abuela Miller me miró sorprendida.

—No seas tonta —dijo—. No todas las mascotas tienen pelo. Mi pájaro Piolito no tiene pelo y es una mascota. Y los peces no tienen pelo. Y los cangrejos no tienen pelo. Y las lagartijas no tienen pelo. Y...

Yo me tapé las orejas con las manos.

—Está bien, está bien. Ya basta con eso del pelo —dije—. Pero los gusanos no tienen ojos ni orejas. Y no tienen patas, ni rabos, ni pies, ni cuello. Y además no pían, ni ladran, ni maúllan, ni hacen nada. Y entonces, ¿qué tipo de mascota es esa?

La abuela Miller pensó y *requetepensó*.

Luego sonrió mucho.

—Es una mascota que no despierta a los vecinos, ni huele a las visitas, ni se rasca todo el tiempo —contestó.

Después de eso se levantó. Y le dio el bebé gusano a mamá.

—Le voy a dar este gusanito a tu mamá —dijo—. Piénsalo y decide si lo quieres o no. Luego hablo contigo.

Entonces me dio un beso en la cabeza.

Agarró la nevera.

Y salió por la puerta.

Mamá miró el gusano que tenía en la mano.

—Pero mira qué chiquitito eres —dijo.

Sacó de la alacena un frasco vacío de mayonesa.

Después hizo varios agujeros en la tapa. Y puso el bebé gusano adentro.

Mamá lo miró.

—Ni siquiera sabes dónde estás, ¿verdad, gusanito? —dijo—. Seguro que te da miedo estar ahí solito.

Yo le di la espalda. Porque sabía lo que estaba tramando.

—No puedes hacer que me guste, mamá —dije—. Nadie me puede obligar a que me guste.

—Por supuesto que no —dijo mamá—. Pero el que no te guste a ti no impide que a mí me guste.

Siguió hablando con el gusano.

—Umm. A lo mejor estarías más contento si te pusiera un poco de tierra para que pudieras caminar —dijo—. Vamos afuera a ver qué encontramos.

Después de eso, mamá se puso el abrigo y salió al jardín. Y agarró un poco de tierra del jardín.

Volvió a entrar en la casa y me enseñó el frasco.

Aquello no tenía mala pinta.

Había una piedra y un palo y una flor y unas cuantas hojitas.

Miré de reojo al bebé gusano.

Él me miró. Creo.

—Ya, lo que pasa es que sigue sin gustarme —dije un poco bajito.

Me moví hacia adelante y hacia atrás.

—Y además, aunque me gustara, ni siquiera sé lo que comen los gusanos. Así que ¿cómo le voy a dar de comer?

Mamá me despeinó con la mano.

—¿No lo sabes? Eso es lo mejor de los gusanos —dijo—. Se alimentan de lo que encuentran en la tierra. No tienes que darles nada de comer.

Justo entonces, mi hermano empezó a llorar.

—Ay, no. Ollie está llorando —dijo—. Toma. Sujeta esto.

Y me dio el frasco muy rápido.

Y salió corriendo de la cocina.

5/ En busca de amigos

Miré y *requetemiré* al gusano.

Se retorció y se metió en la tierra.

Yo di golpecitos en el cristal.

—Oye, es que hay un problemita. Porque ahora no te puedo ver. ¿Y eso qué tiene de divertido? —pregunté.

Quité la tapa y me acerqué el frasco a la boca.

—Sal, sal, dondequiera que estés —dije muy fuerte.

Después esperé con mucha paciencia. Pero el gusano no salió.

—¡Oye, tú! ¿Es que no sabes que te estoy hablando?

Entonces, de repente, mi cerebro tuvo una idea brillante.

¡Por supuesto que no sabía que le estaba hablando!

¿Cómo iba a saber que le estaba hablando si ni siquiera tenía un nombre?

Cerré los ojos muy fuerte. Y pensé en nombres de gusano.

Al ratito, mis ojos se abrieron de repente.

—¡FIDEO! —dije emocionada—. ¡Te llamaré Fideo! ¡Porque los fideos y los gusanos son prácticamente gemelos!

Volví a gritar dentro del frasco.

—¡OYE, FIDEO! ¡OYE, FIDEO! ¡VEN AQUÍ!

Justo entonces, mi mamá asomó la cabeza por la puerta de la cocina.

—¿A qué se debe tanto escándalo? —preguntó—. ¿Quién es Fideo?

Señalé el frasco.

—Fideo es mi gusano —dije—. Lo que pasa es que se ha metido en la tierra y no quiere salir. Ni siquiera cuando lo llamo por su nombre.

Mamá miró en el frasco.

—Umm... a lo mejor está durmiendo la siesta —dijo—. O a lo mejor está explorando su nueva casa.

Me froté la barbilla.

—A lo mejor —dije—. O a lo mejor está buscando amigos para jugar.

En ese momento, me quedé sin respirar.

—¡Mamá! ¡Mamá! ¡Eso es! ¡Seguro que Fideo se siente muy solo ahí adentro! ¡Seguro que está buscando amigos!

Salí corriendo hasta mi armario y me puse un suéter.

—¡ESPERA, FIDEO! ¡ESPERA! ¡PORQUE PUEDO AYUDARTE CON ESE PROBLEMA! CREO.

Después de eso, agarré el frasco de Fideo.

Y yo y él salimos disparados hasta el jardín.

No es fácil encontrar amigos.

Primero intenté agarrar una mariposa. Pero salió volando.

Luego intenté agarrar un saltamontes. Pero no se quedaba quieto.

También intenté atrapar un grillo y una lagartija y una mosca. Pero tampoco cooperaron.

Al final me senté en la hierba muy triste.

—Este trabajo no se me da nada bien —dije.

¡Pero en ese momento vi algo maravilloso!

Y es que había tres hormigas andando por la hierba. ¡Y llevaban trocitos de queso en la cabeza!

Mi corazón empezó a latir con fuerza.

—¡FIDEO! ¡OYE, FIDEO! ¡ENCONTRÉ AMIGOS! ¡Y ADEMÁS LLEVAN UNA MERIENDA DE QUESO RIQUÍSIMA!

Después de eso, agarré las hormigas y el queso. Y las metí en el frasco.

¡Y ahí no se acaban las buenas noticias!

Porque justo entonces, una mosca zumbona y enorme aterrizó en la manga de mi suéter. ¡Y le pegué con la tapa del frasco! ¡Y ni siquiera se murió del todo!

También la metí en el frasco.

Y empecé a bailar por todo el jardín.

¡Porque ahora Fideo tenía amigos!

¡Y yo tenía mascotas para el Día de las mascotas!

¡Y a eso se le llama un final feliz!

6/ Brillitos

Entré corriendo en mi casa muy feliz.

—¡Mamá! ¡Mamá! ¡Encontré amigos para Fideo! ¡Encontré a Zumbona, la Mosca Aplastada! ¡Y también encontré tres hormigas y queso!

Mamá miró a los amigos.

—Qué barbaridad —dijo un poco bajito.

—¡Ya lo sé, mamá! ¡Ya sé que es una barbaridad! ¡A Fideo le van a encantar estos amigos! ¡Estoy segura!

Después de eso, me llevé el frasco a mi cuarto. Y lo puse encima de la cama. Y esperé y *requetesperé* a que Fideo saliera a conocer a sus amigos.

Esperé durante toda la tarde.

Solo que Fideo nunca salió.

A la hora de cenar, entré en la cocina muy triste.

—Fideo sigue escondido —dije—. Y las hormigas se comieron todo el queso. Y Zumbona, la Mosca Aplastada, ni se movió.

Mamá me sentó en la silla. Y me sirvió guiso en mi plato.

—¿Pero cómo crees que voy a comer guiso con lo deprimida que estoy? —dije.

Justo entonces, alguien abrió la puerta.

Era mi abuela Helen Miller.

Venía a devolver la nevera.

¿Y sabes qué?

¡Que dentro de esa cosa había un pez gigante!

¡Casi se me salen los ojos de la cabeza!

—¡Abuela Miller! ¡Abuela Miller! ¡Ese pez es casi tan grande como yo! —dije emocionada.

La abuela Miller estaba muy orgullosa.

—Es una lubina —dijo—. Es grande, ¿verdad?

—¡Sí, abuela! ¡Muy grande! ¡Mira cómo le brilla la piel! ¡La llamaremos Brillitos! ¿Está bien, abuela? ¿Quieres que la llamemos Brillitos?

La abuela Miller sonrió.

—La puedes llamar como quieras, mi amor —dijo—. Tenemos tres más en el auto igual que esta. Vengan todos a verlas.

Así que mamá y papá salieron a ver los peces en el auto.

Pero yo no salí.

Porque yo quería estar con Brillitos.

Metí la mano en el agua helada y la saludé.

—Hola, Brillitos. ¿Cómo estás? —dije—. Yo estoy bien. ¿Y tú?

Le acaricié la cabeza.

—Brillitos, ¿quieres nadar? ¿Quieres nadar en agua fresca?

Después de eso, me puse de rodillas. Y la ayudé a nadar.

—Me encantaría que fueras mi pez, Brillitos. Si fueras mi pez, te llevaría a la escuela para enseñarte a todos los niños. Y serías la estrella del espectáculo.

Justo entonces, se me puso la carne de gallina. ¡Porque esa era la *supermejor* idea que se me había ocurrido en mi vida!

—¡Brillitos! ¡Oye, Brillitos! ¡A lo mejor puedes venir conmigo el Día de las mascotas! ¡Porque eres mucho mejor que la mascota que tengo en el frasco!

Después de eso, levanté al pecezote y lo saqué del agua.

Pero peor para mí, porque Brillitos se cayó al suelo.

—Pues ahora sí que estamos bien —dije—. Porque estás gorda, Brillitos. ¿Y así cómo te voy a llevar a la escuela? Eso es lo que yo quiero saber.

Justo entonces, vi la correa de mi perro Cosquillas.

Estaba colgando de una silla.

Empecé a bailar por toda la cocina.

—¡Una correa, Brillitos! ¡Una correa es la solución a nuestros problemas!

Después de eso, agarré superrápido la correa y se la puse a Brillitos en la cabeza. ¡Y la arrastré por todo el piso!

¡Se arrastraba fenomenal!

Justo entonces, se abrió la puerta.

—¡JUNIE B. JONES! ¿SE PUEDE SABER QUÉ DEMONIOS ESTÁS HACIENDO?

Era mi mamá.

Por lo visto ya había vuelto del auto.

—Estoy arrastrando a Brillitos —dije un poco nerviosa—. Estamos practicando para el Día de las mascotas.

Mamá empezó a decir que no con la cabeza.

—Ay, no. De eso nada. No vas a llevar ese pescado el Día de las mascotas —dijo.

—¡Sí, señora! ¡Sí lo voy a llevar! ¡Tengo que hacerlo! ¡Tengo que llevar a Brillitos! ¡Me encanta este pececito escurridizo! Por fa, mami. Por fa, por fa.

Mamá empezó a respirar profundamente.

Luego se sentó a mi lado y trató de calmarse.

—Muy bien. Quiero que me escuches y prestes mucha atención —dijo—. Sé que te gusta este pescado. Y sé que te gustaría llevarlo a la escuela para el Día de las mascotas. Pero el Día de las mascotas es para mascotas vivas, Junie B. Y a lo mejor no te has dado cuenta, pero... es que... Brillitos está muerto.

Yo asentí con la cabeza.

—Eso no es un problema —dije.

Mamá frunció el ceño.

—¿Que eso no es un problema? ¿Qué quieres decir con que eso no es un problema? Claro que es un problema. No puedes llevar un pescado muerto a la escuela.

Yo levanté las cejas cuando dijo eso.

—¿Por qué? ¿Está en las normas? —pregunté.

—No. Por supuesto que no está en las normas —dijo mamá.

Sonreí.

—Muy bien. Entonces lo puedo llevar —dije.

Después de eso, mamá se quedó mirándome durante un rato muy largo.

Entonces cerró los ojos.

Y puso la cabeza encima de la mesa.

Y no se comió su guiso.

7 / La abuela Miller es una entrometida

¡La abuela Miller se robó a Brillitos!

Esperó a que me estuviera bañando.

Y entró a la cocina sin que nadie la viera.

¡Y se llevó a Brillitos a su casa!

Corrí y di vueltas hecha una furia.

—¡SE LO HA ROBADO! ¡LA ABUELA MILLER SE ROBÓ A BRILLITOS! ¡Y NADIE HA PARADO A ESA MUJER!

Mamá me dijo que bajara la voz.

—Tu abuela no se robó a Brillitos, Junie B. Ella lo pescó en el lago. Ese pescado era suyo, ¿no te acuerdas?

Me levantó y me llevó a mi cama.

—Vas a tener que aceptar eso, Junie B. —dijo—. No puedes llevar un animal muerto el Día de las mascotas. Punto.

Después de eso, me dio un beso de buenas noches en la mejilla.

¿Y sabes qué?

Que yo no le devolví el beso.

El lunes por la mañana, el abuelo Frank Miller vino a cuidarme antes de ir a la escuela.

Yo no le hablé.

Porque está casado con la ladrona de Brillitos. Por eso.

Desayuné en silencio.

El abuelo Miller miró mi frasco de cristal en el mostrador.

—Fíjate en esas hormigas —dijo—. Se pasan el día trabajando, ¿no?

Las miró con los ojos chiquititos.

—¿Qué es eso que llevan en la cabeza?

Yo arrugué la frente.

Luego me quedé pensando. Si ya se habían comido el trozo de queso, entonces ¿qué llevaban en la cabeza?

Justo entonces, abrí los ojos muchísimo.

Porque tenía un mal presentimiento.

Salí corriendo hacia el frasco superrápido.

—¡AY, NO! —grité—. ¡AY, NO! ¡AY, NO! ¡ES ZUMBONA, LA MOSCA APLASTADA!

Abrí la tapa muy rápido.

—¡SUÉLTENLA! ¡SUÉLTENLA AHORA MISMO! ¡SE LO ADVIERTO!

Las hormigas no me obedecieron.

Así que salí al jardín y empecé a agitar el frasco hasta que salieron.

—¡VÁYANSE A SU CASA, HORMIGAS! —grité—. ¡VÁYANSE A SU CASA AHORA MISMO!

Las hormigas se fueron a su casa.

Me sacudí las manos muy orgullosa.

Porque había salvado a Zumbona. Pues por eso.

Después me agaché y agarré mi frasco del césped. Pero había algo que no estaba bien.

Miré adentro.

¡Ay, no!

¡Estaba vacío!

¡No había ni una gota de tierra!

¡Y Fideo tampoco estaba!

—¡FIDEO! —grité—. ¡FIDEO! ¡FIDEO! ¿DÓNDE ESTÁS? ¿DÓNDE ESTÁS?

Entonces me arrastré por todo el césped. Y busqué y busqué y busqué.

Pero no volví a ver a Fideo nunca más.

8/ ¡Una sorpresa en el congelador!

Lloré en mi cama durante mucho tiempo.

—¡El Día de las mascotas está arruinado! ¡Arruinado! ¡Arruinado!

El abuelo Miller buscó fotos de Cosquillas por toda la casa.

Pegó algunas en un cartón. Y las llevó a mi cuarto.

—Mira —dijo—. No está mal, ¿no?

Levanté mi cabeza triste de la almohada.

Luego miré las fotos. Y le di unas palmaditas muy amable.

—Hiciste todo lo que pudiste, viejo amigo —dije muy suave.

El abuelo Miller miró hasta el techo. Yo también miré, pero no vi nada.

Después de eso, salí de la cama. Y me vestí yo solita para ir a la escuela. Y fui a la cocina muy triste.

El abuelo Miller me hizo un sándwich de pavo.

—¿Qué quieres tomar? —preguntó.

Yo suspiré.

—Jugo de naranja, por favor —dije.

El abuelo Miller abrió el refrigerador.

—A ver... jugo de naranja... jugo de naranja... no veo el jugo de naranja —dijo.

Me acerqué para ayudarlo a buscar.

No veíamos el jugo de naranja por ninguna parte. Ni siquiera en el congelador.

Justo entonces, mi abuelo movió las verduras congeladas.

¿Y sabes qué?

¡Que mi corazón casi dejó de respirar!

¡Porque no podía creer lo que estaba viendo! ¡Por eso!

—¡ABUELO MILLER! ¡ABUELO MILLER! ¿VES LO QUE YO VEO? ¿LO VES? ¿EH? ¿LO VES?

El abuelo Miller se acercó un poco más.

—Pues no veo el jugo de naranja. Eso te lo puedo asegurar —dijo.

Empecé a bailar por toda la cocina.

—¡NO, ABUELO! ¡NO ES EL JUGO DE NARANJA! ¡VEO UNA MASCOTA PARA EL DÍA DE LAS MASCOTAS! ¿LA VES, ABUELO? ¿LA VES?

¡Entonces aplaudí muy contenta!

¡Y di saltitos hasta el congelador!

¡Y la saqué de ahí!

9/ El honor más grande

Todos estaban muy contentos en el Salón Nueve porque era el Día de las mascotas.

Había jaulas con animales peludos. Y peceras con peces. Y también había una serpiente. Y un cangrejo. Y un gallo.

—Ese gallo es mío —dijo el malo de Jim que me cae tan mal—. Si se lo ordeno, te pica la cabeza. Te pica la cabeza y te la convierte en una canica.

Puse cara de asco. Porque eso de tener una canica de cabeza no suena muy bien.

Justo entonces, Lucille vino hasta mí dando saltitos.

—¡Mira, Junie B.! ¡Mira mi maravilloso equipo de equitación! ¿Ves mi casco de montar a caballo? ¿Y mis increíbles pantalones de montar a caballo? Y mira, Junie B., ¡esta es una foto de mi lindísimo poni! ¡Y mira mis increíbles botas de montar! ¡Son botas auténticas de vaquero de verdad!

Yo sonreí asombrada.

—Estás estupenda, Lucille —dije.

Grace me tiró del brazo.

—¡Junie B.! ¡Junie B.! ¡Ven a ver a Babosito! Mi pez, ¿te acuerdas? ¡Ven a verlo! ¡Ven a verlo!

Justo entonces, mi maestra dio unas palmadas muy fuertes.

—¡Niños y niñas! ¡Por favor, siéntense ahora mismo! ¡Hoy vamos a tener un día muy emocionante en el Salón Nueve!

Salimos corriendo y nos sentamos.

Seño señaló la mesa de las mascotas que había al fondo del salón.

—¿Quién quiere ser el primero? —preguntó—. ¿Quién nos quiere presentar a su mascota?

—¡YO! —grité—. ¡YO! ¡YO! ¡YO!

Entonces salí disparada de mi asiento.

Pero Seño me dijo que me sentara. Y llamó a William el Llorón. Porque ese chico nunca sale disparado de su asiento.

William fue a la mesa de las mascotas.

Señaló a su rana toro que se llama Wendell.

—Me la acaban de regalar el sábado —dijo William muy tímido.

Seño sonrió.

—Es realmente una rana preciosa —dijo—. William, ¿te gustaría sacar a

Wendell de su terrario para que la veamos? ¿Te gustaría enseñar a tus compañeros cómo se sujeta una rana?

Entonces William puso cara de asco. Y empezó a sudar muchísimo.

Así que Seño terminó poniéndole una toalla húmeda en la cabeza. Y le dijo que no tenía que sujetar a Wendell.

Charlotte fue la siguiente.

Nos enseñó su conejito que se llama Pantuflas.

Lo llevó por todas partes.

Y nos dejó acariciarle la cabeza.

Pantuflas olía a pies sucios.

Después de Charlotte vino Paulie Allen Puffer.

Nos enseñó su loro que se llama Pedro el Pirata. Solo que pobre Pedro el Pirata porque no paraba de decir una mala palabra. Y la repetía una y otra vez. Y Seño tuvo que mandar a Pedro el Pirata a la oficina del director.

Después de eso, muchos niños mostraron fotos de sus perros y sus gatos.

Y Jamal nos mostró su lagartija que se llama Tija.

Al final levanté la mano muy calmada.

—Me encanta que seas tan educada, Junie B. ¿Te gustaría ser la siguiente? —preguntó Seño—. ¿Has traído una foto de tu perro?

Yo dije que no con la cabeza.

—No —dije—. Porque no quería traer una foto, ¿se acuerda? Quería traer una mascota de verdad. Pero peor para mí. Porque mi mamá dijo que no podía ser un mapache. Y luego mi abuela Helen Miller se robó a Brillitos. Y además perdí a Fideo. Y después no podíamos encontrar el jugo de naranja. Y así es como mi abuelo movió las verduras congeladas. Y ¡tachán! ¡Vi una mascota ahí mismo! ¡Así que la metí en mi mochila! ¡Y aquí está!

Después de eso, abrí el bolsillo de mi mochila. Y levanté mi mascota para que todo el mundo la viera.

—¡CROQUETA DE PESCADO! —dije muy contenta—. ¡LE PUSE EL NOMBRE DE CROQUETA DE PESCADO PORQUE ES UNA CROQUETA DE PESCADO! ¡POR SUPUESTO!

Todos los del Salón Nueve me miraron y *requetemiraron*.

De repente, todos empezaron a reírse.

—¡ESTÁS LOCA COMO UNA CABRA! —gritó el malo de Jim—. ¡Las croquetas de pescado no son mascotas! ¡Las croquetas de pescado son para comer!

Me sentí muy mal por dentro.

—Pero... pero las croquetas de pescado pueden ser mascotas, ¿verdad, Seño? ¿Verdad? —pregunté—. Porque las croquetas de pescado son de pez. ¿O no? Y los peces son mascotas. ¿Verdad?

Seño tenía las manos en la cara. Me miró entre los dedos.

—Este... sí, claro. Los peces son mascotas —dijo.

Me sentí un poquito mejor.

—Eso quiere decir que las croquetas de pescado también pueden ser mascotas, ¿verdad? —dije.

Seño seguía con las manos en la cara.

Al final, tomó aire y se levantó de su escritorio.

—Bueno, vamos a ver. A lo mejor deberíamos leer lo que dice el diccionario —dijo.

Después de eso, sacó el diccionario y buscó la palabra "mascota".

Nos leyó lo que decía.

—Mascota —dijo—. Cualquier animal domesticado que sirva de compañía.

—Muy bien —dijo—. Ahora que ya sabemos la definición, veamos si las croquetas de pescado entran en esa descripción.

Me miró.

—Junie B., ¿Croqueta de Pescado está domesticada o es salvaje?

—Domesticada —dije—. Croqueta de Pescado está muy domesticada. Ni siquiera te pica en la cabeza y te la convierte en una canica.

—Muy bien —dijo Seño—. ¿Y tú dirías que Croqueta de Pescado es una buena compañía, Junie B.? ¿La puedes llevar a muchos sitios? ¿Y se comporta bastante bien?

—Sí —dije—. Croqueta de Pescado puede ir a más sitios que mi perro. Creo. Porque a Croqueta de Pescado la puedo meter en mi mochila. ¡Y no dice ni pío!

Seño sonrió muy contenta.

Después vino hasta mi mesa. Y me dio la mano.

—Muy bien, entonces, enhorabuena —dijo—. Según el diccionario, Croqueta de Pescado es definitivamente una mascota.

Después de eso, me quitó a Croqueta de Pescado de la mano. Y la llevó a la mesa de las mascotas.

¿Y sabes qué? ¡La puso justo al lado de Babosito!

—¡Grace! ¡Oye, Grace! ¡Ahora nuestros peces pueden ser amigos, igual que nosotras! —dije muy contenta.

Justo entonces, oí algo que croaba.

Era Wendell, la rana toro. Creo.

¡Y entonces Wendell croó más alto todavía!

¡Y eso hizo que Babosito saltara en el agua!

¡Y el gallo empezó a cantar kikirikí!

¡Y Pantuflas empezó a saltar!

Y entonces, se abrió la puerta de su jaula por accidente. ¡Y se bajó de la mesa de un salto!

—¡AY, NO! —gritaron todos en el Salón Nueve—. ¡AY, NO! ¡AY, NO!

Y entonces todos empezamos a perseguir a Pantuflas por todo el salón. Y Pantuflas saltó y saltó y saltó hasta que Seño lo atrapó con el cesto de la basura.

¡Fue la aventura más emocionante que hemos tenido jamás en el Salón Nueve!

¡Y eso ni siquiera es lo mejor del Día de las mascotas!

Porque al final del día, Seño le dio premios especiales a todas las mascotas.

¡Y el gallo recibió el premio al más CHILLÓN!

¡Y Pedro el Pirata recibió el premio al más HABLADOR!

¡Y Babosito recibió el premio al más BURBUJERO!

¡Y Pantuflas recibió el premio al CONEJO MÁS PILLO!

¡Y Croqueta de Pescado recibió el premio al que MEJOR SE PORTA!

Me quedé sin habla al oír eso.

Entonces le di la mano una y otra vez a Seño.

—¡Gracias, Seño! ¡Gracias, gracias! ¡Porque este es el honor más grande del mundo mundial!

Seño sonrió.

Me dijo que Croqueta de Pescado le había alegrado el día.

Después me dio un abrazo.

¡Y a esto se le llama un final feliz!

Barbara Park dice:

"En mi escuela nunca celebramos el Día de las mascotas, pero después de escribir este libro, empecé a pensar cómo hubiera sido. Creo que no lo habría pasado muy bien. Yo tenía un gato gruñón que se llamaba Pudgy.

Levantar a Pudgy era una hazaña que solo el familiar más valiente de la casa (mi mamá) se atrevía a hacer. Por la noche, Pudgy decidía que iba a dormir en mi cama, y yo me metía debajo de las sábanas y rezaba para que me dejara dormir ahí a mí también.

Pudgy era el típico gato, independiente, orgulloso y altivo.

Pudgy es el motivo por el que ahora tengo un perro".